Gabi, la fée des cochons d'Inde

Pour Tom Powell, avec amour

Un merci tout particulier à

Sue Mongredien

Catalogage avant publication
de Bibliothèque et Archives Canada

Meadows, Daisy
Gabi, la fée des cochons d'Inde / Daisy Meadows ;
illustrations de Georgie Ripper ;
texte français de Dominique Chichera-Mangione.

(L'arc-en-ciel magique. Les fées des animaux ; 3)
Traduction de: Georgia, the guinea pig fairy.
Sommaire: Pour les 4-8 ans.

ISBN 978-0-545-98269-6

I. Ripper, Georgie II. Chichera, Dominique III. Titre.

IV. Collection : Meadows, Daisy. L'arc-en ciel magique.
Les fées des animaux.

PZ23.M454Ga 2010 j823'.92 C2009-906892-3

Édition publiée par les Éditions Scholastic,
604, rue King Ouest, Toronto (Ontario) M5V 1E1

6 5 4 3 2 Imprimé au Canada 139 13 14 15 16 17

Gabi, la fée des cochons d'Inde

Daisy Meadows

Illustrations de Georgie Ripper

Texte français de Dominique Chichera-Mangione

Éditions SCHOLASTIC

Le palais
du Royaume
des fées
Le village de Beauvallon
La ferme
des pins
verts
L'exposition
de printemps

Les écuries des voltigeurs
Le château de glace du Bonhomme d'Hiver
La maison de Jeanne Doucet
parc
La maison de Karine
La maison de Jérôme Delavaux
La maison de la famille Picard

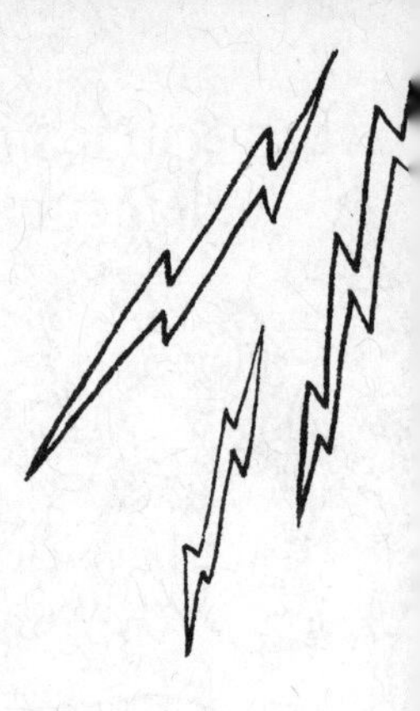

Les fées ont toutes un animal de compagnie,
Et moi je n'ai même pas une petite souris.
Je vais donc partir en chasse
Et les attirer dans mon château de glace.

J'ai jeté un sort dans le but héroïque
De m'approprier ces animaux magiques.
Bientôt, les fées verront avec effroi
Leurs sept compagnons vivre chez moi!

Table des matières

— Ce doit être le plus mignon de tous les animaux de la ferme des pins verts! déclare Rachel Vallée, les yeux brillants, en prenant le petit agneau dans ses bras. Il est tellement adorable!

— Et affamé aussi, ajoute sa meilleure amie, Karine Taillon.

Elle incline la bouteille de lait dont elle se sert pour nourrir l'agneau tandis qu'un

employé de la ferme l'observe.

— Il a déjà presque fini!

— J'ai soif rien qu'à le regarder! s'écrie la mère de Karine alors que l'agneau tète les dernières gouttes qui restent.

Rachel est venue passer la semaine dans la famille de Karine. Cet après-midi, les fillettes s'amusent beaucoup à la ferme des pins verts!

Elles ont déjà vu un groupe de minuscules canetons s'aventurer à prendre leur premier bain dans l'étang. Elles ont fait une promenade sur le dos d'un poney Shetland appelé Camel et maintenant, elles ont la chance de donner le biberon à quelques agneaux!

Rachel pose délicatement l'agneau par terre et les deux fillettes le regardent tituber en essayant de rejoindre les autres agneaux dans le pré!

— J'ai vu un panneau qui indiquait la direction pour se rendre au « Coin des animaux de compagnie », dit Rachel en lançant à Karine un coup d'œil entendu. Pourrons-nous y aller plus tard?

Karine adresse un sourire à son amie. Les deux fillettes partagent un merveilleux secret. Elles ont aidé les fées

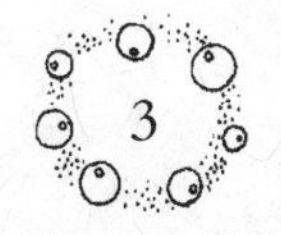

des animaux pendant toute la semaine!

Le méchant Bonhomme d'Hiver a enlevé les sept animaux magiques des fées des animaux, mais les petits garnements ont réussi à s'échapper dans le monde des humains. Hier, Rachel et Karine ont aidé Belle, la fée des lapins, à trouver son lapin perdu. Et le jour précédent, elles ont réuni Kim, la fée des chatons, et son compagnon qui avait disparu. Donc, Karine sait très bien ce qu'espère Rachel : elles trouveront peut-être aujourd'hui un autre animal magique dans le Coin des animaux de compagnie!

— C'est une bonne idée, mais je pense que je vais aller prendre un café pendant que vous y allez, dit Mme Taillon. Je vous retrouverai ici à quatre heures.

— C'est parfait, répond Karine en essayant de ne pas paraître trop excitée.

Elle aime sa mère, mais leurs meilleures aventures se produisent toujours lorsque les deux amies sont seules!

— À tout à l'heure! lance Karine.

Mme Taillon part en direction du kiosque à café tandis que les deux filles se dirigent vers le « Coin des animaux de compagnie ».

— Nous sommes arrivées, dit Rachel alors qu'elles pénètrent dans l'enceinte entourée d'une petite clôture. Ouvre bien grand les yeux pour repérer les animaux magiques! ajoute-t-elle plus bas d'un ton excité.

Les fillettes commencent à regarder tous les lapins et les cochons d'Inde qui se trouvent dans les clapiers. Un panneau posé sur le dessus de la cage indique aux visiteurs le nom de l'animal qui se trouve à l'intérieur ainsi que sa nourriture préférée.

— Ce lapin s'appelle Alban et il aime les fanes de carottes et les choux de Bruxelles, lit Karine à haute voix, en observant le lapin aux poils gris. Bonjour, Alban!

— Rosie aime les graines de tournesol et les feuilles de laitue, lit Rachel sur le panneau de l'autre cage. Millie, sa sœur, aime les pommes tranchées. Et Coco, le bébé de Rosie, aime les carottes… Oh!

Karine lève les yeux.

— Qu'y a-t-il? demande-t-elle.

Rachel est accroupie devant l'une des cages et regarde attentivement à l'intérieur.

— Il devrait y avoir trois cochons d'Inde

dans la cage, répond Rachel, mais le bébé cochon d'Inde n'est pas là!

Karine se précipite.

— Oh, non! regarde! s'écrie-t-elle. La porte de la cage est ouverte. Coco a dû s'échapper!

Rachel aperçoit du coin de l'œil un éclair de fourrure derrière les clapiers. Elle se retourne et voit un petit cochon d'Inde orange et blanc se faufiler sous la clôture en bois.

— Ce doit être Coco, là-bas! crie Karine.

Elle referme la porte de la cage d'un geste sec et saute sur ses pieds pour mieux voir.

— Oh, non! Il se dirige vers le pré où se trouvent les moutons! dit-elle en les montrant du doigt.

Rachel se met à courir après le bébé cochon d'Inde d'un air inquiet.

— Il est trop petit pour s'en aller tout seul, lance-t-elle. Nous devons le sauver, Karine!

De la magie dans le ciel!

Karine et Rachel escaladent la barrière en bois qui entoure le pré des moutons et se mettent à courir après le cochon d'Inde. Coco trottine en direction d'un arbre situé à l'autre bout du pré. Lorsque le cochon d'Inde atteint le pied de l'arbre, les deux fillettes s'arrêtent net et ouvrent de grands yeux.

Au lieu de musarder autour du pied de

l'arbre, le petit animal grimpe simplement le long du tronc!

— Je ne pensais pas que les cochons d'Inde étaient capables de faire cela! s'exclame Karine, le souffle coupé. Je vais le suivre pour l'aider au cas où il resterait bloqué.

Karine monte dans l'arbre et progresse de branche en branche jusqu'à ce qu'elle soit à portée de main du petit cochon d'Inde. Coco la regarde d'un air curieux.

— Bonjour, dit

Karine d'une voix douce en tendant la main vers lui.

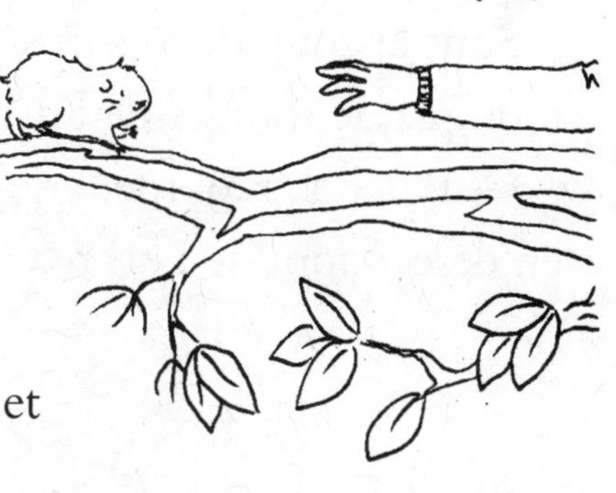

Au même moment, pensant qu'il s'agit d'un jeu, le cochon d'Inde fronce le nez et recule. Karine allonge un peu plus la main.

— Viens ici, Coco, dit-elle.

Le cochon d'Inde fait un pas de plus en arrière et Karine croit voir son petit museau esquisser un sourire!

— J'ai des hallucinations, maintenant, pense Karine.

Elle avance un peu plus loin sur la branche, puis s'allonge pour essayer d'attraper le cochon d'Inde. Au moment même où ses doigts entrent en contact avec la fourrure de

Coco, celui-ci quitte la branche d'un bond... et s'éloigne en trottinant dans les airs!

Sous le coup de la surprise, Karine vacille et manque de tomber de l'arbre.

— Rachel, regarde! crie-t-elle, surexcitée, en descendant de l'arbre.

Rachel sent un frisson la parcourir lorsqu'elle réalise ce qui se produit.

— Ce n'est pas Coco, le cochon d'Inde de la ferme! s'écrie-t-elle en riant. C'est l'animal magique de Gabi, la fée des cochons d'Inde!

Les deux amies ont rencontré toutes les fées des animaux au Royaume des fées.

— Je me demande où peut bien être Gabi!

Au même instant, les fillettes entendent un chant joyeux retentir au-dessus de leur tête. Elles lèvent les yeux et voient Gabi qui vole vers elles sur le dos d'un merle!

— Gabi! crie Rachel en faisant de grands signes de bienvenue en direction de la jolie fée.

Gabi leur fait à son tour de grands signes chaleureux tandis que le

merle se pose sur une branche au-dessus de la tête des fillettes.

Gabi a des cheveux noirs coupés court et elle porte un haut et une jupe en suède de couleur jaune, tous les deux bordés d'une frange de perles et de pompons turquoise. Elle descend du merle en souriant et le remercie pour la balade. Le merle s'envole en chantant une réponse mélodieuse.

Gabi vole jusqu'à l'épaule de Rachel. Ses ailes translucides scintillent sous les rayons du soleil.

— Bonjour, les filles! lance-t-elle d'une voix claire et amicale.

— Nous étions à la recherche d'un cochon d'Inde nommé Coco, s'empresse de lui expliquer Karine, mais nous avons trouvé ton animal magique à la place, Gabi!

Gabi virevolte de joie en entendant la bonne nouvelle.

— Je savais bien qu'il était dans le coin! déclare-t-elle en regardant autour d'elle.

— Oh! Sydney! s'écrie-t-elle en voyant le petit cochon d'Inde orange et blanc qui trotte dans les airs. Tu m'as

tellement manqué!

Rachel sourit en entendant Sydney pousser des petits cris joyeux. Il regarde la fée et court vers elle.

Gabi écoute les petits cris empressés de Sydney.

— Il dit qu'il était, lui aussi, à la recherche de Carotte, explique-t-elle aux fillettes. Et…

Mais avant que Gabi puisse traduire le message de Sydney, l'un des moutons qui paissent près d'elles se lève brusquement sur ses pattes arrière. À leur grand étonnement, le mouton brandit un filet à papillons. Il l'agite dans les airs et capture Sydney!

— Hé! crie Karine. Que se passe-t-il?

— Ce n’est pas un mouton, lance Rachel, horrifiée, en voyant un grand nez vert émerger du visage de la créature. C’est un gnome qui s’est déguisé!

Des gnomes déguisés!

Un gloussement de joie retentit. Le gnome court à travers le pré en tenant le filet dans lequel Sydney est emprisonné.

— Oh, non! crie Karine. Qu'allons-nous faire maintenant?

— Je vais vous transformer en fées et nous pourrons voler à sa poursuite, s'empresse de répondre Gabi en agitant sa baguette

au-dessus des fillettes.

Un flot d'étincelles turquoise s'échappe en tourbillonnant de la pointe de sa baguette magique et s'enroule autour des deux amies. En un instant, Karine et Rachel deviennent de plus en plus petites jusqu'à être minuscules comme les fées.

Rachel agite ses ailes scintillantes et se sent toute légère alors qu'elle s'élève dans les airs. Être une fée est la meilleure chose au monde! Mais à présent, les fillettes ont une tâche à accomplir.

— Suivons ce méchant gnome! lance Rachel en volant à toute vitesse à sa poursuite.

— Ne t'inquiète pas, Sydney, nous arrivons! crie Karine en s'élançant à la suite de Rachel.

Mais, alors qu'elles volent au-dessus du pré, plusieurs moutons se lèvent sur leurs pattes arrière et tentent d'attraper Karine, Rachel et Gabi avec leurs filets à papillons. Il y a plus de gnomes déguisés en moutons qu'elles ne le croyaient!

— Voilà qu'ils nous pourchassent! s'alarme Rachel en regardant par-dessus son épaule.

Les gnomes se précipitent vers elles, leurs filets à papillons à la main, et affichent des sourires méchants.

— Volez plus haut, leur dit Gabi. Ne les laissez pas vous attraper, vous aussi!

Karine, Rachel et Gabi montent encore plus haut dans le ciel pour être hors de portée des gnomes. Le gnome qui avait attrapé Sydney entre en courant dans une vieille grange et les fillettes filent à toute allure à sa poursuite.

Il fait très sombre à l'intérieur et, en pénétrant dans la grange, les fillettes ne voient pas grand-chose. Mais Gabi murmure quelques mots magiques et la pointe turquoise de sa baguette émet une lueur bleue éclatante, comme une torche.

— Sydney, où es-tu? appelle-t-elle doucement, en voletant un peu plus haut pour voir derrière un tas de bottes de foin.

Espérant apercevoir le cochon d'Inde, Karine et Rachel font, elles aussi, le tour de la grange en volant. Soudain, Sydney laisse échapper quelques petits cris aigus.

Karine, Rachel et Gabi s'élancent aussitôt dans la direction d'où provient le son.

Les couinements de l'animal magique semblent venir d'un endroit proche de la porte de la grange.

Malheureusement, juste au moment où les fillettes et Gabi approchent de la porte, les autres gnomes pénètrent en courant dans la grange et ricanent de contentement en voyant les trois fées prises au dépourvu qui volettent devant eux.

— Attrapez-les! crie l'un des gnomes, en balançant son filet autour de lui pour tenter de capturer les fées.

— Oh non, vous ne nous aurez pas! lance Gabi.

Les trois amies prennent leur essor et fuient les gnomes.

Karine réussit à se libérer de la prise d'un gnome, mais le plus grand l'avait repérée.

Karine monte plus haut juste au moment où le gnome rabat son filet – la voilà piégée!

— Au secours! crie-t-elle en battant des ailes désespérément.

— Ah! s'exclame le gnome en lui adressant un sourire méchant et en plaçant une main verte pleine de verrues sur l'ouverture du filet. Tu es ma prisonnière, maintenant!

Gabi prend la main de Rachel. Elle l'attire vers une petite fenêtre dont la vitre est cassée, au-dessus de la porte de la grange. À ce moment-là, les gnomes referment la porte en la claquant violemment.

— Qu'allons-nous faire? demande Rachel à Gabi. Les gnomes retiennent Karine prisonnière!

Les battements de son cœur s'accélèrent tandis qu'elles se glissent à travers la fenêtre brisée.

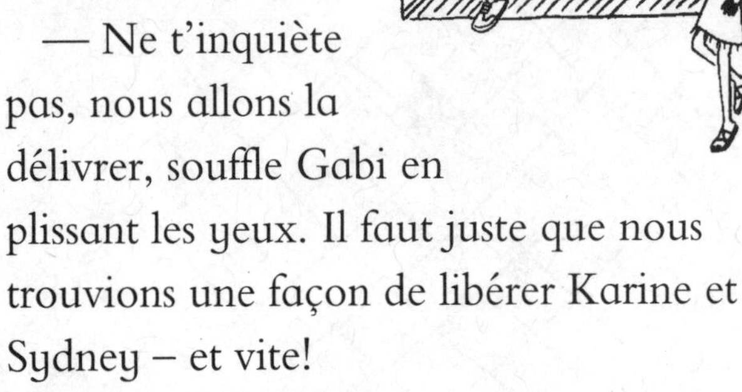

— Ne t'inquiète pas, nous allons la délivrer, souffle Gabi en plissant les yeux. Il faut juste que nous trouvions une façon de libérer Karine et Sydney – et vite!

Rachel et Gabi restent silencieuses et réfléchissent à ce qu'elles doivent faire. Elles entendent les gnomes qui poussent des cris de triomphe à l'intérieur de la grange.

— Un cochon d'Inde *et* une fée, exulte l'un d'entre eux. Quelle excellente journée!

— Le Bonhomme d'Hiver va être content de nous aujourd'hui, renchérit un autre, satisfait de lui.

Rachel et Gabi entendent alors un frottement; les gnomes font glisser le verrou qui ferme la porte de la grange.

— Nous allons nous asseoir et attendre tranquillement que ces deux fées soient parties, marmonne un des gnomes, puis nous emmènerons cette fée et le cochon d'Inde au château du Bonhomme d'Hiver.

Rachel pense que c'est horrible d'entendre les gnomes se réjouir. Elle s'assoit sur le rebord de la fenêtre et réfléchit.

— Gabi, crois-tu que Sydney puisse se transformer en éléphant de façon à faire tomber la porte? demande-t-elle.

Gabi hoche la tête d'un air triste.

— Sydney ne peut pas utiliser la magie, explique-t-elle à Rachel.

Aucun des animaux magiques ne peut faire appel à la magie lorsqu'il est effrayé.

Elle fronce les sourcils en se concentrant, puis ajoute :

— Nous devons nous arranger d'une façon ou d'une autre pour que les gnomes quittent la grange. Nous pourrions peut-être les attirer à l'extérieur en les tentant avec quelque chose qu'ils aiment manger...

Le visage de Rachel s'éclaire; elle vient d'avoir une idée!

— Nous pouvons peut-être les inciter à sortir en leur faisant peur. Gabi, peux-tu utiliser la magie pour faire le bruit d'un taureau en furie?

— Bien sûr, répond Gabi qui sourit en comprenant ce que Rachel a dans la tête. Bien sûr! Le bruit d'un taureau en furie qui vient d'être réveillé par des gnomes bruyants est juste ce qu'il faut pour les faire sortir de la grange! chuchote-t-elle en riant.

Rachel hoche la tête d'un air satisfait.

— Les gnomes ne sauront jamais que les bruits qu'ils entendent ne sont que de la magie, ajoute-t-elle.

Gabi et Rachel échangent un sourire, puis descendent en voletant jusqu'à terre.

— Faisons un essai, dit Gabi. Plus vite nous libérerons Karine et Sydney, plus vite nous pourrons trouver Coco.

Elle agite sa baguette, ce qui a pour effet d'envoyer plus d'étincelles turquoise tournoyer autour de Rachel.

En un instant, Rachel retrouve sa taille normale.

Puis, Gabi pointe sa baguette vers les portes de la grange qui scintillent pendant quelques secondes dans une lueur magique turquoise.

— Voilà, murmure-t-elle à Rachel. J'ai utilisé la magie pour maintenir les portes fermées. Même si les gnomes ouvrent les verrous, ils ne pourront pas sortir jusqu'à ce que nous intervenions.

— Et nous ne les laisserons pas sortir tant qu'ils n'auront pas promis de libérer Karine et Sydney, murmure Rachel en souriant. C'est une excellente idée, Gabi!

Puis, en faisant un clin d'œil à la fée, Rachel élève la voix.

— Prenez garde au taureau! dit-elle comme si elle lisait un panneau à haute voix. Les gnomes savent-ils qu'ils sont enfermés dans la grange avec le méchant taureau du fermier? Il a mauvais caractère et il est bien trop fou pour être laissé seul dans le pré! s'exclame-t-elle en riant. Je ne voudrais pas être là lorsque le taureau se réveillera!

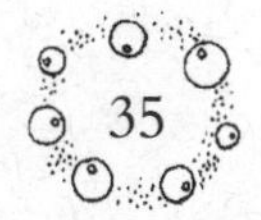

Rachel lance un regard à Gabi qui papillonne à l'extérieur de la fenêtre, au-dessus de la porte de la grange. D'un coup de baguette magique, la petite fée envoie un jet de magie dans le coin le plus sombre de la grange.

Grrr! Grrr! BOUM! Un terrible grondement s'élève de l'endroit où la magie a frappé.

Et un grand bruit de martellement de sabots se fait entendre.

Gabi revient se percher sur l'épaule de Rachel en essayant de ne pas éclater de rire devant leur trait de génie.

Rachel colle l'oreille à la porte de la grange pour entendre les gnomes.

— Qui a eu l'idée stupide de venir ici? crie l'un d'entre eux.

— Le t-t-taureau fou du f-f-fermier semble vraiment en f-f-furie! bégaie un autre.

Rachel et Gabi entendent le grincement d'un verrou qui glisse.

Puis, l'un des gnomes essaie d'ouvrir la porte, mais la magie de Gabi la tient bien fermée.

— Vous êtes emprisonnés à l'intérieur avec le taureau fou du fermier! leur crie Rachel.

— Le taureau pourrait faire un animal de compagnie parfait pour le Bonhomme d'Hiver, ajoute Gabi d'une voix doucereuse.

— Laissez-nous sortir immédiatement! lance un gnome en donnant des coups sur la porte.

— Non, je ne pense pas, réplique Gabi de sa petite voix argentine de fée.

Puis, elle se précipite vers la fenêtre et agite de nouveau sa baguette pour envoyer encore plus de magie à l'intérieur de la grange.

Aussitôt, le mugissement d'un taureau en colère se fait de

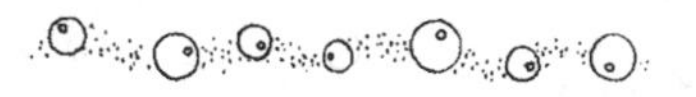

nouveau entendre, mais cette fois, il paraît encore plus puissant!

— Oh, tous ces cris semblent avoir rendu le taureau encore plus furieux! fait remarquer Gabi.

Pris de panique, les gnomes tapent des poings sur la porte.

— Laissez-nous sortir immédiatement! crient-ils.

Marché conclu!

— Vous libérez Karine et Sydney et nous vous laisserons sortir de la grange! crie Rachel aux gnomes.

Il y a une minute de silence, puis Rachel entend l'un des gnomes murmurer :

— Nous ne pouvons pas dire au Bonhomme d'hiver que nous avons laissé un autre de ces animaux empoisonnants nous filer entre les doigts.

— Nous avons d'abord raté l'enlèvement du chaton, puis la capture du lapin. Si nous revenons aujourd'hui sans le cochon d'Inde...

— Nous *ne* pouvons *pas* rentrer sans le cochon d'Inde, l'interrompt un autre gnome, mais pourquoi ne ...

Rachel approche son oreille le plus près possible de la porte, mais les gnomes parlent tellement bas qu'elle ne peut entendre ce qu'ils complotent.

— La fée peut s'en aller, mais le cochon d'Inde reste avec nous! annonce une voix de gnome après un instant.

Rachel lance un regard triste à Gabi. Elle ne s'attendait pas à cette réponse.

— Qu'allons-nous répondre? murmure-t-elle.

— Si nous acceptons, nous saurons alors que Karine va bien, répond Gabi. L'une d'entre nous pourra peut-être attraper Sydney lorsque les gnomes sortiront de la grange.

Rachel acquiesce d'un signe de tête.

— D'accord, souffle-t-elle à contrecœur.

Puis, elle se tourne vers la porte de la grange.

— Marché conclu! crie-t-elle aux gnomes. Libérez Karine!

Un moment passe pendant lequel Rachel et Gabi attendent de voir si les gnomes s'apprêtent à leur jouer un tour. Puis, Karine se précipite à l'extérieur en passant par la fenêtre et les rejoint avec un sourire de soulagement.

Gabi agite sa baguette et redonne à Karine sa taille de fillette.

Rachel la serre fort dans ses bras.

— Tu vas bien? Ont-ils été méchants avec toi et Sydney? demande-t-elle.

— Je vais bien, répond Karine, et Sydney aussi. Il est plutôt calme, mais il n'est pas blessé.

Les gnomes tambourinent de l'autre côté de la porte de la grange.

— Un marché est un marché! crie l'un des gnomes. Ouvrez la porte

avant que ce taureau fou s'aperçoive de notre présence!

Gabi pointe sa baguette vers la porte.

— Nous allons essayer de retenir le gnome qui tient Sydney, d'accord? murmure Rachel à Karine qui approuve d'un signe de tête.

— Il se tenait derrière les autres, au fond, répond celle-ci doucement. Prête quand tu le seras, Gabi.

Gabi agite sa baguette. Les battants de la porte de la grange scintillent de nouveau dans une lueur brillante bleue, puis s'ouvrent

brusquement. Les gnomes se précipitent aussitôt à l'extérieur de la grange.

— Vite! Avant que le taureau ne se mette à nous pourchasser! hurle l'un d'entre eux.

Karine et Rachel sautent sur le dernier gnome qui tient Sydney. Mais leurs mains se referment sur le vide. Le gnome les a évitées et détale maintenant à travers champs.

— Il s'échappe! crie Rachel.

Karine cherche désespérément du regard quelque chose qu'elle pourrait utiliser pour arrêter le gnome.

Soudain, elle aperçoit une vieille corde à l'intérieur de la grange.

— Gabi, peux-tu utiliser ta magie pour changer cette corde en lasso? demande-t-elle rapidement

— Bien sûr, répond la fée en agitant sa baguette.

Une spirale de poudre magique turquoise tourbillonne dans le ciel. Une extrémité de la vieille corde se transforme en lasso et l'autre extrémité atterrit dans la main de Karine.

Elle fait aussitôt tournoyer la boucle du lasso au-dessus de sa tête en gardant les yeux fixés sur le gnome qui s'enfuit avec Sydney. Puis, elle lance le lasso droit sur lui.

Les fillettes retiennent leur souffle en voyant le lasso fendre les airs.

Il semble se diriger dans la mauvaise direction, mais Gabi pointe vivement sa baguette sur lui. Le lasso baigne alors dans une lueur bleue et se détourne pour aller dans la direction du gnome. La boucle s'abat sur lui et se resserre en lui emprisonnant fermement les

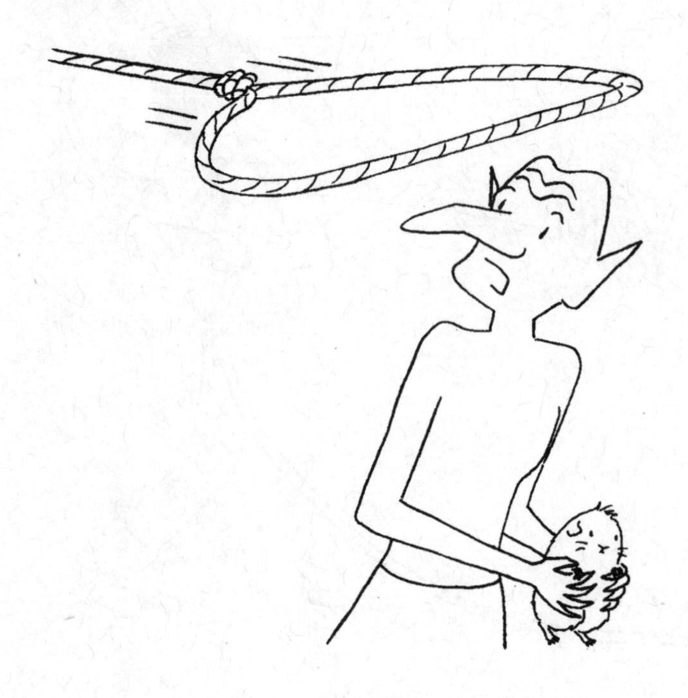

bras le long du corps.

Le gnome tente de continuer à courir, mais, sous l'effet de la magie, la corde glisse des mains de Karine et va s'enrouler autour des jambes du gnome pour freiner sa course, l'obligeant à s'arrêter.

— Attrapez-le! s'écrie Karine d'un air triomphant.

— Au secours! crie le gnome emprisonné à ses amis, mais ils sont trop occupés à fuir le taureau imaginaire pour l'entendre.

Rachel et Karine s'avancent calmement vers le gnome qui se débat. Sydney, qui est toujours dans les mains du gnome, pousse des petits cris de contentement.

— Viens ici, Sydney, dit Rachel en le libérant gentiment des mains du gnome.

Sydney crie encore plus fort lorsqu'il voit Gabi papillonner dans les airs. En fronçant le nez, il fait un bond pour la rejoindre et rétrécit, reprenant ainsi sa taille minuscule. Gabi l'attrape doucement et le serre dans ses bras.

—Et moi alors? s’exclame le gnome furieux, toujours entortillé dans la corde.

— Ne t’inquiète pas, la magie va faire bientôt disparaître la corde, le rassure Gabi en lui adressant un sourire. Dans une heure ou deux, tu seras libre…

— Dans une heure ou deux? grommelle le gnome.

Gabi fait un clin d’œil à Karine et Rachel qui se dirigent vers le Coin des animaux de compagnie.

— En réalité, cela ne prendra que quelques minutes, murmure-t-elle en riant.

Sydney se met à pousser des cris et soudain Gabi semble inquiète.

— Bien sûr! s'écrie-t-elle. Nous devons trouver le petit Coco! Je l'avais presque oublié!

— Il est déjà quatre heures moins le quart dit Rachel en baissant les yeux vers sa montre. Karine, nous devons retrouver ta mère dans quinze minutes. Il ne nous reste pas beaucoup de temps pour chercher Coco.

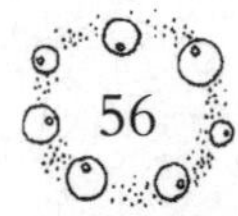

Alors, je vais vous transformer de nouveau en fées, lance Gabi en agitant brusquement sa baguette magique. Ainsi, nous pourrons survoler les environs pour le chercher. Séparons-nous et retrouvons-nous devant la cage de Coco dans cinq minutes.

Rachel et Karine partent à toute vitesse dans des directions différentes, à la recherche du pauvre petit cochon d'Inde.

Karine va examiner la zone des jeux, les écuries, et regarde même par les fenêtres de la boutique de cadeaux tandis que Rachel survole l'enclos des cochons, la mare aux canards et les étables. Aucun signe de Coco, nulle part.

— Je n'y comprends rien, dit Gabi lorsqu'elles se retrouvent cinq minutes plus tard. Où peut bien être ce cochon d'Inde?

— Nous allons être obligées de partir bientôt, déclare Rachel d'un ton triste, mais je ne peux me résoudre à quitter la ferme sans savoir que Coco est en sécurité!

Soudain, Karine désigne une poule que ses poussins suivent en file indienne.

— Attendez un peu, dit-elle en plissant les yeux. Le dernier poussin de la file a l'air bizarre!

Rachel observe à son tour et glousse de soulagement.

Le dernier « poussin » de la file n'est pas jaune et duveteux comme les autres. C'est un petit cochon d'Inde qui a la couleur d'une carotte!

— Coco a adopté une nouvelle famille! s'écrie Gabi. Comme c'est mignon!

Sydney trottine gaiement vers Coco en lui adressant des petits cris.

Rachel et Karine observent Coco qui pose son regard sur Sydney, puis sur les poussins, comme s'il pensait à quelque chose. Puis, il frotte son nez contre celui de Sydney et pousse des couinements.

— Il dit qu'il était content de faire partie de la famille des poussins, mais qu'il est maintenant prêt à rentrer chez lui, traduit Gabi en riant. Et nous le sommes également, petit Coco!

Gabi regarde autour d'elle pour s'assurer que personne n'est en vue. Puis, elle agite sa baguette au-dessus de Rachel et Karine qui reprennent leur taille de fillettes.

Karine s'approche et prend Coco dans ses mains.

— Viens, dit-elle d'une voix douce. Laisse-nous te ramener dans ta cage.

Aussitôt que Karine a replacé Coco dans sa cage, Rosie et Millie, la mère et la tante de Coco, se précipitent et poussent des petits couinements excités. Puis, tous trois se frottent le nez et Coco se blottit contre Rosie d'un air heureux.

Gabi agite sa baguette pour

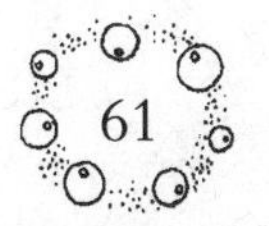

s'assurer que la porte de la cage est bien fermée.

— Et plus de visite dans le poulailler, d'accord? dit-elle à Coco avec un sourire.

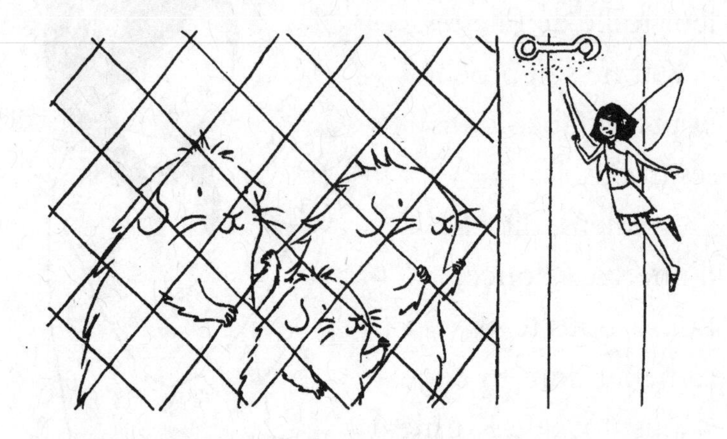

Puis, elle prend Sydney dans ses bras et se tourne vers les filles.

— Il est presque quatre heures. Vous devriez partir, leur dit-elle. Et nous devrions retourner au Royaume des fées, Sydney, où je vais m'assurer que le Bonhomme d'Hiver ne s'approche plus de toi!

Sydney se blottit dans les bras de Gabi qui le caresse délicatement.

— Merci pour tout, dit-elle à Karine et Rachel. Sydney vous remercie, lui aussi.

Karine et Rachel étreignent la petite fée et caressent Sydney qui pousse des couinements en guise d'au revoir en direction des fillettes puis de la cage de Coco. Aussitôt, un concert de couinements s'élève, comme si tous les cochons d'Inde de la ferme les saluaient.

Puis, Gabi et Sydney disparaissent dans un tourbillon d'étincelles turquoise qui scintillent dans les rayons du soleil de l'après-midi.

— Ah, vous voilà, les filles!

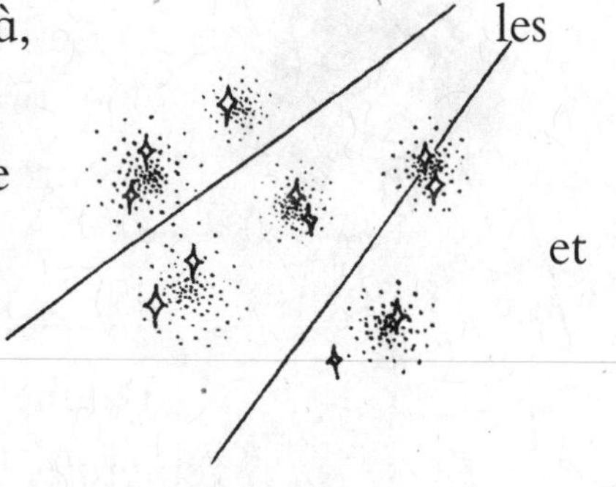

Rachel et Karine se retournent et aperçoivent Mme Taillon qui se dirige vers elles.

— Avez-vous passé une belle journée?

— Formidable, maman, merci beaucoup, répond Karine en lui adressant un sourire. N'est-ce pas, Rachel?

— Oh, oui! s'écrie Rachel.

Elle sourit en remarquant un pot contenant des graines de tournesol, quelques tranches de pommes et des bâtonnets de carottes dans la cage des cochons d'Inde.

Elle est certaine qu'il s'agit d'un cadeau de Gabi, car ces aliments n'étaient pas là auparavant!

— Quelle journée féérique! ajoute Rachel en souriant d'un air joyeux.

L'ARC-EN-CIEL magique

LES FÉES DES ANIMAUX

Gabi, la fée des cochons d'Inde,
a retrouvé son compagnon.
À présent, Rachel et Karine doivent aider

Laura, la fée des chiots!

Des chiots à l'exposition

— Regarde cette courgette, Karine! Elle est presque aussi grosse que moi!

Rachel Vallée éclate de rire en désignant le légume vert géant sur la table de présentation.

Karine Taillon lit la carte posée devant la courgette.

— Elle a gagné un prix, annonce-t-elle. C'est le plus gros légume de l'exposition de

printemps à Beauvallon!

Il y a d'autres légumes de grosses dimensions sur la table et les fillettes regardent les carottes et les oignons énormes en ouvrant de grands yeux. Il y a également de grands vases remplis de jonquilles, de tulipes et de jacinthes. Les plus belles fleurs exposées ont également gagné des prix.

— C'est formidable! déclare Rachel. J'aimerais tant qu'il y ait aussi une exposition de printemps dans mon village.

Rachel passe la semaine à Beauvallon chez Karine, et les fillettes sont restées tout l'après-midi à l'exposition en plein air. Il y a de nombreux stands offrant des gâteaux, des biscuits et des confitures maison. On peut aussi faire des promenades à dos de poneys dans le pré. Il y a même un énorme château gonflable rouge et jaune. Rachel et Karine s'amusent énormément!

— Je crois que nous avons fait le tour de l'exposition, finit par dire Karine. Mes parents vont bientôt venir nous chercher.

— Pouvons-nous aller jeter un dernier coup d'œil à notre stand préféré? s'empresse de demander Rachel.

— Tu veux parler du stand du refuge pour animaux de Beauvallon? répond Karine en souriant.

— Oui, je voudrais savoir s'ils ont trouvé un foyer pour les quatre chiots.

— Je l'espère. Ils étaient vraiment mignons! Et, en parlant d'animaux de compagnie…

Karine baisse la voix de façon à ne pas être entendue et poursuit :

— Crois-tu que nous allons trouver un autre animal magique aujourd'hui?

— Il nous suffit de garder les yeux grands ouverts! murmure Rachel d'un ton déterminé.

LE ROYAUME DES FÉES N'EST JAMAIS TRÈS LOIN!

Dans la même collection

Déjà parus :

LES FÉES DES PIERRES PRÉCIEUSES

India, la fée des pierres de lune

Scarlett, la fée des rubis

Émilie, la fée des émeraudes

Chloé, la fée des topazes

Annie, la fée des améthystes

Sophie, la fée des saphirs

Lucie, la fée des diamants

LES FÉES DES ANIMAUX

Kim, la fée des chatons

Bella, la fée des lapins

Gabi, la fée des cochons d'Inde

Laura, la fée des chiots

À venir :

Hélène, la fée des hamsters

Millie, la fée des poissons rouges

Patricia, la fée des poneys